Michael, David ve Chrissy'ye…

– K. W.

Alan Baker'a…

– J. C.

PEARSON

Türkçe yayın hakları © Pearson Eğitim Çözümleri Tic. Ltd. Şti. Türkiye, 2012
Barbaros Bulvarı No: 149 Dr. Orhan Birman İş Merkezi Kat: 3
Gayrettepe 34349 İstanbul-Türkiye Tel: 0212 288 69 41
iletisim@pearson.com.tr
www.pearson.com.tr

Özgün Adı: Bear Snores On
Simon & Schuster Books
An imprint of Simon & Schuster Children's Publishing Division
1230 Avenue of the Americas, New York, NY 10020

Metin © 2002 Karma Wilson
Resimler © 2002 Jane Chapman
Çeviri: Gülbin Baltacıoğlu
Çin'de basılmıştır.

1. Baskı: 2012, 2. Baskı: 2015, 3. Baskı: 2016
ISBN: 978-605-4248-89-6
Sertifika No: 16372

Tombik Ayı Uyuyunca

Karma Wilson

Resimleyen: Jane Chapman

Çeviri: Gülbin Baltacıoğlu

PEARSON

Ağaçlar arasındaki mağarada
uyuyordu Tombik Ayı horlaya horlaya.
Bu soğukta, karlar arasında,
kış uykusunda olmaktan daha iyi ne vardı acaba?

Tombik Ayı uyudukça uyudu.
Bir sağa bir sola döndü durdu.
Tüm gün ve tüm gece,
gözlerini hiç açmamıştı bile.

Kar yağıyordu hızla.
Çoktan başlamıştı fırtına.
Tombik Ayı
uyuyordu hâlâ.

Ufacık tefecik bir fare,
gitmek için sıcak bir yere,
yürüyordu hızla
soğuk karların üzerinde.

Buldu kuru bir yer sonunda,
gelmişti Tombik Ayı'nın mağarasına.
Mağara karanlık, soğuk ve nemliydi.
Yaktı Fare hemen ateşi.

Ne yanarken çıtırdayan dallar,
ne de dışarıdaki fırtına...

Bu sesler arasında bile
uyuyordu Tombik Ayı keyifle.

Bembeyaz karların arasından
Mağaranın içine baktı Tavşan.
“Kim var orada?” diye seslendi Fare.
Tavşan’ı gördü ve dedi “Haydi, gel içeriye.”

“Merhaba!” dedi Tavşan.
“Görüşmeyeli oldu uzun zaman.”
Birlikte mısır patlattılar.
Çaylarını yudumladılar.

Ne şapır şupur çay içmeleri,
ne de kıtır kıtır mısır yemeleri ...

Bu sesler arasında bile
uyuyordu Tombik Ayı keyifle.

Mısır kokuları gelince burnuna,
Porsuk baktı etrafa.
Kim yemek yapmıştı mağarada?
Onunla da paylaşırlar mıydı acaba?

Görünce arkadaşlarını orada,
çıkardı bir torba dolusu fındığı ortaya.
"Haydi, hep beraber yiyelim." dedi onlara.
Başladılar fındıkları atıştırmaya.

Fındıklardan yediler hep beraber.

ÇATUR!

ÇUTUR!

KITIR!

Bu sesler arasında bile
uyuyordu Tombik Ayı keyifle.

Sincap ile Köstebek
geldi mağaraya toprağı eşerek.
Çalıkuşu ile Karga ise
uçarak girmişlerdi içeriye.

Geldiler yine bir araya,
Tombik Ayı'nın mağarasında.
Toplanmışlardı ateşin başında,
hepsi de çok mutluydu orada.

Bütün gece sohbet ettiler,
kıkır kıkır gülüştüler.
Bu sesler arasında bile
uyuyordu Tombik Ayı keyifle.

Arkadaşlar gelince bir araya,
çok eğlendiler, başladılar dansa.
Bir tek Tombik Ayı eksikti,
dans etmek yerine uyuyordu bizimkisi.

Acıkınca karınları,
çorba istedi canları.
Tavşan ateşe odun attı,
Fare ise karabiberi çorbaya kattı.

Birden yaramaz bir karabiber tanesi,
gitmek yerine çorbaya,
kaçtı Tombik Ayı'nın burnuna.

Tombik Ayı hapşırınca,
uçurdu her şeyi havaya.

U U U U !

Tombik Ayı
uyanmıştı sonunda!

Ama çok öfkeliydi.
Kükreyip
gürlüyordu.
Zıplayıp
tepiniyordu.
Hırlayıp
homurdanıyordu.

"Benim mağarama girdiniz,
bensiz ne çok eğlendiniz!
Neden uyandırmadınız beni?
Eğlenmek isterdim
ben de sizin gibi."

Başladı Tombik Ayı ağlamaya,
için için yakınmaya...

Fare dedi ki, “Üzülme,
bize sakın gücenme.
Mısır da patlatırız senin için,
çay da içeriz birlikte.”

Tombik Ayı yiyince bütün mısırları,
hemen doydu karnı.
Keyifliydi artık herkes gibi,
anlatmaya başladı bildiği bütün hikâyeleri.

Güneş doğmaya başladığında,
Tombik Ayı uyanıktı hâlâ.
Ama arkadaşları çoktan
dalmıştı rüyalara…